Henri-Marie Guindon
Montfortain

J'AI CRU,
C'EST POURQUOI
J'AI CHANTÉ

Florilège Marial

Éditions Paulines & Médiaspaul

DU MÊME AUTEUR:

Marie de Vatican II, Beauchesne, Paris, 1971. *Épuisé.*

Une âme mariale, Marie de Sainte-Cécile de Rome, Éd. Montfortaines, Ottawa, 1940. *Épuisé.*

Virgo praedicanda, Éd. Montfortaines, Nicolet, 1944. *Épuisé.*

Catéchisme marial, Éd. Montfortaines, Nicolet, 1947. *Épuisé.* Trad. anglaise.

Neuvaine à N.-D. de la Médaille Miraculeuse, Ottawa, 1986. Trad. anglaise.

L'auteur a aussi publié de nombreux ouvrages en collaboration.

Composition et mise en page: *Les Éditions Paulines*

Maquette de la couverture: *Antoine Pépin*

ISBN 2-89039-156-6

Dépôt légal — 4e trimestre 1987
Bibliothèque nationale du Québec
Bibliothèque nationale du Canada

© 1987 Les Éditions Paulines
    3965, boul. Henri-Bourassa est
    Montréal, QC, H1H 1L1

    Médiaspaul
    8, rue Madame
    75006 Paris

PRÉSENTATION

«*J'ai cru, c'est pourquoi j'ai parlé*», disait saint Paul[1]. La foi qui lui tenait au fond de l'être le faisait témoigner «*à temps et à contre-temps*[2]» de ce qu'il aimait, ayant été «*saisi par le Christ Jésus*[3]» dont l'amour le «*pressait*[4]».

La psychologie humaine a inspiré le dicton populaire repris par l'évangile: «*C'est du trop plein du cœur que la bouche parle*[5]» et encore: «*Ce que dit la bouche, c'est ce qui déborde du cœur*[6].» Mais, pourrait-on compléter, plus copieuse est cette abondance intérieure, plus impérieuse est la nécessité intime de parler, de crier même ce à quoi l'on croit ou... de le chanter. Moïse a chanté la victoire de Yahvé sur les Égyptiens[7]. L'amour de la patrie a inspiré les hymnes nationaux.

Après plusieurs autres publications qui ont exposé le mystère de Marie de façon didactique[8] — «*J'ai cru c'est*

---

1. 2 Co 4, 13.
2. 2 Ti 4, 2.
3. Ph 3, 12.
4. 2 Co 5, 14.
5. Mt 12, 34.
6. Lc 6, 45.
7. Ex 15, 1.
8. «*Virgo praedicanda*» (1946). Un évêque le donna à tous ses prêtres; «*Catéchisme marial*» (1947), traduit en anglais, espagnol et

pourquoi j'ai écrit » — le présent volume contient, cette fois, des poèmes marials et autres, construits, les uns selon les règles classiques de la prosodie, les autres en vers libres. Leur but n'est pas que la beauté littéraire dans la cadence rythmique ou l'harmonie des rimes. Comme l'indique le titre, ils entendent, tout comme les publications précédentes, véhiculer un message: la *connaissance* et l'*amour* de Marie[9]. «*J'ai cru, c'est pourquoi j'ai chanté.*»

Sans présenter la doctrine sous une forme rigoureusement didactique, ces poèmes en sont imprégnés et constituent de la sorte une véritable catéchèse qui touche l'ensemble du mystère marial, soit dans son aspect *dogmatique: Prédestination de Marie, Immaculée Conception Plénitude de grâce, Maternité divine* et *spirituelle, Virginité, Association au Christ Rédempteur, Assomption*; soit dans la *pratique* de la vie chrétienne par une saine et vraie dévotion inspirée par la foi, soutenue par l'espérance et animée par l'amour, orientée vers le Christ et, par Lui, à la Trinité[10]. C'est le sens que Jean-Paul II a voulu donner à cette Année Mariale, non seulement pour une meilleure connaissance «de la doctrine de la foi mais aussi de la vie de la foi et donc de l'authentique «spiritualité mariale[11]».

La structure même des poèmes, dont la majorité était

en langue lushai; «*Marie dans le Gouvernement de l'Église*» (1957); «*Marie de Vatican II*» (1972), et plusieurs autres travaux.

9. «Quel pauvre amour que le tien si tu n'aspires pas à transmettre ta folie à d'autres apôtres» (José-Maria Escriva, *Chemin* n. 796, Éditions du Méridien, 1984).

10. Paul VI écrivait: «Il convient au plus haut point, avant tout, que les exercices de piété envers la Vierge Marie expriment clairement la note trinitaire et christologique qui leur est intrinsèque et essentielle» (*Exhortation sur le Culte Marial*, n. 25).

11. «J'aime à ce propos, continuait Jean-Paul II, évoquer... la figure de saint Louis-Marie Grignion de Montfort qui proposait aux chrétiens la consécration au Christ par les mains de Marie comme moyen efficace de vivre fidèlement les promesses du baptême. Je constate avec plaisir que notre époque actuelle n'est pas dépourvue de nouvelles

destinée à être chantée, est en dépendance de la musique originelle soit italienne, anglaise, allemande, espagnole ou slave. Ont été mis à contribution des airs de Bach, Mendelssohn, Brahms, Schubert, Mozart, Verdi, Gounod. D'où il ne faut pas s'étonner de la coupe variée des vers où différentes longueurs alternent.

Ces poèmes, enregistrés sur six cassettes[12], ont été mis en valeur par le talent musical naturel de Jacqueline Nadeau et son grand amour de Marie.

Un dernier poème est un hommage posthume à son inoubliable et inlassable accompagnatrice, à l'orgue et au piano, Thérèse Allard.

<hr/>

manifestations de cette spiritualité et de cette dévotion» (Encyclique *Redemptoris Mater*, 25 mars 1987, n. 48).

12. I. *À la source de Massabielle*; II. *Sur les ondes de Grotte fleurie*; III. *À la Grotte des Neiges*; IV. *Au pied du rocher, confidences à Marie*; V. *Sur ton épaule, je viens reposer*; VI. *Dès le clair matin, je chante Marie.* Les quatre premiers titres font référence à la Grotte N.-D. de Lourdes, à Vanier, où ces chants ont d'abord été chantés.

PRÉDESTINATION

«Pourquoi un jour est-il plus grand que l'autre puisque, toute l'année, la lumière vient du soleil? C'est qu'ils ont été distingués dans la pensée du Seigneur qui a diversifié les saisons et les fêtes. Il a exalté et consacré les uns et fait les autres des jours ordinaires» (Si 33, 7-9).

Au fil de mes pensées laissant voguer l'esprit,
je me suis demandé, au secret de la nuit:
«Pourquoi, dans l'argile commune,
     pétrie comme tes sœurs,
surpasses-Tu, Marie, notre humaine stature?»

Dans la pensée du Père, sans égale mesure,
chacun trouve sa taille à nulle autre pareille[1].
Par un don tout gratuit où seul l'amour s'engage
Il T'a choisie pour Mère, dignité sans partage[2].

Étouffé que je suis au sein de l'abondance,
de la consommation victime inconsciente,
j'aurais voulu pour Toi les plus belles trouvailles,

---

1. «Ô homme! vraiment, qui es-tu pour disputer avec Dieu? L'œuvre va-t-elle dire à celui qui l'a modelée: Pourquoi m'as-tu faite ainsi? Le potier n'est-il pas maître de son argile pour fabriquer de la même pâte un vase de luxe ou un vase ordinaire? (Rm 9, 20).
2. «Le plan divin du salut, qui nous a été pleinement révélé par la venue du Christ, est éternel... Il inclut toute l'humanité, mais réserve une place unique à la «femme» qui est la Mère de celui auquel le Père a confié l'œuvre du salut» (Jean-Paul II, Enc. *Redemptoris Mater*, n. 7).

inventer une langue aux syllabes sonores,
d'opulentes musiques, toutes les harmonies.
Comment avec mes mots atteindre à ta grandeur?
Pour louer dignement achoppe ma louange.
Mais que vaut le cumul, la multiplicité?
Te charger d'oripeaux mais cacher ta beauté!
La brillante escarboucle aux cheveux de l'amante,
l'or pur des bracelets sur un poignet d'albâtre,
la moire somptueuse dont Tu serais drapée
sont bien pâles reflets de ta magnificence.

Au sommet du créé, admiration de l'ange,
Tu restes néanmoins, au milieu de tes sœurs,
toute petite et pauvre, en ton désir immense,
et n'attendant rien d'autre, en ta sainte espérance[3],
que l'amour de Yahvé, de vivre en sa présence,
et le dur pain du jour donné en suffisance[4].

---

3. « Elle occupe la première place parmi ces humbles et ces pauvres du Seigneur qui espèrent et reçoivent le salut de lui avec confiance » dit le Concile de Vatican II (*Lumen Gentium*, n. 55).
4. À la suite de toutes les discussions entourant l'adjectif « epiousion » apposé au mot pain chez Mt 6, 11, « les traductions restent hypothétiques: pain quotidien, le pain pour aujourd'hui, le pain pour demain, le pain essentiel, véritable, le vrai pain de vie » (Jan Lambrecht, « *Eh bien, moi je vous dis* », coll. Lectio Divina 125, Cerf, 1986, p. 136).

CHEF-D'OEUVRE DE DIEU

Comment chanter ta grâce, ô Marie,
Comment louer le Fils qui Te choisit pour Mère,
Et qui voulut Te combler de bienfaits
Et faire en Toi son chef-d'œuvre parfait[1]?

J'admire en Toi tout ce qui dit beauté;
Jamais aucune créature
N'a tant reçu de Dieu, son Créateur.
Les anges réunis célèbrent ta grandeur,
Les hommes, sur terre, en Toi, leur sœur,
Contemplent l'idéal
Qui dépasse le rêve;
Toutes leurs voix, sous la voûte des cieux,
Forment un chœur harmonieux.

Les chants d'oiseaux, le coloris des fleurs,
Le lac au creux de la montagne,
La neige au front d'un sommet de blancheur,
L'étoile qui scintille au milieu de la nuit,
La lune qui baigne de douceur
La campagne endormie,
Le repos du semeur,
N'ont qu'une voix, sous la voûte des cieux:
Que pouvait Dieu faire de mieux[2]?

---

1. « Marie est l'excellent chef-d'œuvre du Très-Haut, dont il s'est réservé la connaissance et la possession » (s. Louis-Marie de Montfort, *Traité de la vraie dévotion à la Sainte Vierge*, n. 5).
   « Chef-d'œuvre de tous les miracles: *omnium miraculorum apex* » écrit Pie IX dans la Bulle dogmatique *Ineffabilis Deus*, Mgr Ernest Lemieux, *Marie* I, Documents Pontificaux sur la Très Sainte Vierge, Les Presses Universitaires Laval, Québec, 1954, p. 43).
2. « Être Mère de Dieu est une grâce si grande que Dieu n'en peut faire une plus grande. Il pourrait faire un monde et un ciel plus grands; faire une mère plus grande que la mère de Dieu est même pour lui chose impossible » (s. Bonaventure, *Speculum B.M.V.*, L. X.).

TOUTE BELLE

Pour mieux Te célébrer, ô Mère immaculée,
En ce jour hivernal, la terre, tout de blanc
Se pare et, sous les feux de l'astre à son levant,
Sa robe resplendit, de gemmes constellée.

Tandis que notre race, à ce moment souillée.
Sous l'emprise gémit du pouvoir de Satan[1]
La grâce, en plénitude, à ton premier instant,
Tel un flot de lumière en Toi s'est écoulée.

L'éclat de ta beauté dès lors toujours a lui,
Tu n'as jamais connu cette angoissante nuit
De honte et de péché dont notre âme est si lasse.

Pour nous frayer la voie au Royaume des Purs,
Diffuse ta lumière en nos sentiers obscurs,
Rayonne devant nous les splendeurs de ta grâce[2].

---

1. « Nous arrachant à l'esclavage du diable et du péché » (Constitution pastorale *Gaudium et Spes*, n. 22, 3).
2. « Cependant, si l'Église en la personne de la bienheureuse Vierge, atteint déjà à la perfection qui la fait sans tache ni ride (cf. Ép. 5, 27), les fidèles du Christ, eux, sont encore tendus dans leur effort pour croître en sainteté par la victoire sur le péché: c'est pourquoi ils lèvent leurs yeux sur Marie comme modèle des vertus qui *rayonne sur toute la communauté des élus*» (Constitution dogmatique *Lumen Gentium*, n. 65).

MÈRE DE DIEU*

Mère de Dieu,
Loin du péché qui nous pèse ici-bas
Mère de Dieu,
De tes enfants, ne Te détourne pas.
En ton pouvoir
Auprès du Fils, intercède pour eux,
Ton seul vouloir
Déjà suffit à l'oreille de Dieu.

Mère de Dieu,
Immaculée en ta Conception,
Mère de Dieu,
Je veux exalter ton Assomption.
Sous ton manteau
Abrite tes enfants si malheureux,
Viens de Là-Haut,
Et par la main, emmène-les aux cieux.

---

* Cassette: «*Au pied du rocher, confidences à Marie*».

MARIE, NOTRE ESPÉRANCE*

Début de septembre
Au coloris d'ambre,
  Déjà le froid
  S'attaque aux bois,
Homme, en ta souffrance,
Garde confiance:
  Le jour viendra
  Et tu verras
  Toi qui chantais:
Yahvé m'a dit qu'il enverrait   Is 45, 8
Sur notre terre le Fils promis
Et du péché qu'il sauverait
Ceux qu'il veut faire ses amis.

Tu parais sur terre,
Déjà le mystère
  Du don que Dieu
  Nous fait des cieux
Apporte la joie[1]
Pour que l'homme voie,
  Dans ta naissance,
  Son espérance[2]
  Lui qui chantait:
Yahvé m'a dit qu'il enverrait

---

* Cassette: «À la source de Massabielle».
1. L'Antienne d'ouverture de la messe de la Nativité de Marie nous invite en ces termes: «Célébrons dans la joie la naissance de la Vierge Marie; par elle est venu le Soleil de justice, le Christ, notre Dieu.»
2. Dans la prière après la communion, l'Église prie ainsi: «Dans cette communion, Seigneur, tu refais les forces de ton Église; donne-lui d'exulter de joie, heureuse de la nativité de la Vierge Marie qui fit lever sur le monde l'espérance et l'aurore du salut.»

Sur notre terre le Fils Promis
Et du péché qu'il sauverait
Ceux qu'il veut faire ses amis.

Sa miséricorde
Au pécheur accorde
L'immense don
De son pardon.
Grâce sans mesure[3],
Pure créature,
Mère en ton sein
Le Fils survient,   Lc 1, 31
Toi qui chantais:
Yahvé m'a dit qu'il enverrait
Sur notre terre le Fils promis
Et du péché qu'il sauverait
Ceux qu'il veut faire ses amis.

Sur notre terre le Fils promis
Est venu sauver du péché
Tous ceux que le Père a remis   Jn 17, 6
À son pouvoir de racheter.

---

3. « La bienheureuse Vierge, par là même qu'elle est la Mère de Dieu
a une certaine dignité infinie » (s. Thomas, 1, q. 25, a. 6 ad 4).

ANNONCIATION*

Réjouis-Toi, Toi pleine de grâce   Lc 1, 28
Yahvé Seigneur daigna Te choisir   Lc 1, 48
  Pour que par Toi, de notre race,
Son Fils Jésus lors puisse venir.

À Gabriel ta réponse entière   Lc 1, 38
Apporte à tous l'espoir du salut;
  En devenant sa digne Mère,
Tu le deviens de tous ses élus[1].

Moule de Dieu qui donnes visage[2]
Au propre Fils venu parmi nous,
  En tout chrétien produis l'image
Qu'il veut toujours retrouver en nous.

Pour retourner par Jésus au Père   Jn 14, 6
Il faut encor suivre le chemin

---

* Cassette: «*Dès le clair matin, je chante Marie*».
  1. Le fondement de la maternité spirituelle de Marie est l'Incarnation. Du fait que nous formons un seul corps dont le Christ est la Tête (Ép 4, 15), en concevant la Tête, Marie conçoit aussi les membres.
  2. «Marie est le grand moule de Dieu, fait par le Saint-Esprit pour former au naturel un Homme Dieu par l'union hypostatique, et pour former un homme Dieu par la grâce. Il ne manque à ce moule aucun trait de la divinité: quiconque y est jeté et se laisse manier aussi, y reçoit tous les traits de Jésus Christ, vrai Dieu, d'une manière douce et proportionnée à la faiblesse humaine, sans beaucoup d'agonie et de travaux; d'une manière sûre, sans crainte d'illusion, car le démon n'a point eu et n'aura jamais d'accès en Marie, sainte et immaculée, sans ombre de la moindre tache du péché» (s. Louis-Marie de Montfort, *Secret de Marie*, La même idée est développée dans le *Traité de la vraie dévotion à la sainte Vierge*, n. 219).

Que, pour venir à nous sur terre,
Jésus voulut prendre à cette fin[3].

En ce grand jour la Vierge Marie,
En pure foi, T'accueille en son sein,
Avec amour, reçois ma vie
Qui pour jamais repose en ta main.

---

3. « La Sainte Vierge est le moyen dont Notre Seigneur s'est servi
pour venir à nous; c'est aussi le moyen dont nous devons nous servir
pour aller à lui » (s. Louis-Marie de Montfort, *Traité de la vraie dévotion
à la Sainte Vierge*, n. 75).

LE SEIGNEUR NOUS A TANT AIMÉS*

Le Seigneur nous a tant aimés
Qu'il envoya sur terre
Le Fils, en son sein engendré,   Jn 3, 16
Qui devient notre Frère[1].   He 2, 11

Il est venu nous enseigner
Comment il faut lui plaire:
Par l'exemple qu'il a donné   Jn 13, 15
Nous savons comment faire.

Mais pour descendre jusqu'à nous,
Il voulut une Mère
Qui le berça sur ses genoux
Et l'offrit à son Père[2].   Lc 2, 22

Toujours présente au rendez-vous,
Devançant ma prière,   Cf. Jn 2, 3
Ô tendre Mère au cœur si doux,
En Vous toujours j'espère.

---

* Cassette: «Au pied du rocher, confidences à Marie».
1. Jésus est Fils de Dieu mais par sa nature humaine en tout semblable à nous «hormis le péché» (He 4, 15). Il s'appelle «Fils de l'Homme» de préférence à toute autre expression. Celle-ci se rencontre 70 fois chez les Synoptiques, 12 fois en saint Jean et toujours sur les lèvres de Jésus à l'exception de Jn 12, 34.
2. Si Marie, selon la Loi, avait déjà présenté son Fils au Temple, c'est au Calvaire que ce geste s'éclaire en sa pleine signification. Jésus était, dès le premier instant de l'Incarnation, la victime désignée par le Père pour opérer le salut du monde. C'est ainsi que Marie l'accepte en donnant son consentement à l'ange: «Voici que tu concevras et enfanteras un fils, et tu lui donneras le nom de Jésus» (Lc 1, 31), c'est-à-dire Yahvé sauve. S. Louis-Marie de Montfort écrivait déjà de cette union de Marie à son Fils, qu'il devait «être immolé par son consentement

17

Vous avez, Mère, tout pouvoir
Pour obtenir la grâce;
Auprès du Fils votre vouloir
Est sitôt efficace.

Jn 2, 5-8

Le monde est en si grands besoins,
Si grande est sa misère,
Que, sans la douceur de vos soins,
Le pauvre désespère.

À Votre Fils, portez nos vœux,
Offrez-Lui la prière
De tous vos enfants malheureux
Qui peinent sur la terre.

Vous êtes couronnée aux Cieux
Après votre victoire,
Sur nous daignez baisser vos yeux,
Ô Reine de la Gloire.

---

au Père éternel» (*Traité de la vraie dévotion à la sainte Vierge*, n. 18), affirmation reprise par Léon XIII: «Elle offrit elle-même volontairement son Fils à la justice divine» (*Jucunda semper*, chez Mgr Ernest Lemieux, *Marie*, I, p. 181) et Pie XII: «C'est elle qui le présenta sur le Golgotha au Père éternel» (*Mystici corporis* dans Catin-Conus, *Aux sources de la vie spirituelle*, Documents, n. 845). Le Concile reprend cette doctrine en disant: «Associée d'un cœur maternel à son sacrifice, donnant à l'immolation de la victime, née de sa chair, le consentement de son amour» (*Lumen Gentium*, n. 58).

VIERGE DE L'ATTENTE

En son amour, Vierge Marie,
Considérant notre malheur,
Entre toutes, Dieu T'a choisie
Pour mettre au monde le Sauveur.

Vierge, par Toi, la longue attente
De Celui qui vient nous sauver,   Cf. Is 45, 8
Grâce à ta charité ardente,
Va très bientôt se terminer.

Le monde exulte d'allégresse
En contemplant en cet Enfant
Un Dieu qui nous aime et nous presse
De le servir d'un cœur brûlant.

Toi qui nous as donné le Verbe   Jn 1, 14
Rends-nous dociles à sa voix;
Brise de l'homme la superbe   Cf. Ps 2, 9
Pour reconnaître son vrai Roi.

Fais-nous vivre dans l'espérance
De rencontrer un jour, aux Cieux,
Le Fils qui daigne, en son enfance,
Nous faire don si précieux.

NOTRE-DAME DE L'AVENT*

Vierge Sainte, ô Marie,
Tu nous a donné Jésus,
C'est en Lui que la Vie
Vient préparer ses élus.
Grâce à Toi, sur la terre,
Où peine le pécheur,
De nouveau l'homme espère
En un Dieu, Père et Sauveur.

Dans un monde en souffrance
Presqu'au bord du désespoir,
Fais briller l'espérance
À celui qui ne peut voir.
Ouvre-nous à la joie
De trouver le Sauveur   Lc 1, 10
Remets-nous sur la voie
Qui conduit au vrai bonheur.

Déjà l'Eucharistie
Est un avant-goût du ciel[1],
Nourris-nous, ô Marie,
À ce banquet éternel.
Fais qu'un jour, Vierge Sainte,
Gage de notre espoir,
Nous allions tous sans crainte
Vers la nuit du dernier soir.

---

* Cassette: «*Sur les ondes de Grotte fleurie*».
1. L'Antienne du Cantique de Marie, au soir de la solennité du Très Saint Sacrement, s'exprime en ces termes: «Banquet très saint où le Christ est reçu en nourriture: le mémorial de sa passion est célébré, notre âme est remplie de sa grâce, et la gloire à venir nous est déjà donnée.»

CANTILÈNE*

Gens, venez à l'étable voir l'enfantelet
Joliet
Qui, sur les genoux de Marie
Vous convie.

L'adorable Verbe de Dieu s'est fait muet,
Il se tait!
Cependant que sainte Marie,
Elle, prie.

C'est pour nous sauver tous qu'un Dieu s'est fait enfant
Impuissant
Mais il est fort en sa faiblesse,
Ô Sagesse!

Gens, venez à l'étable voir l'enfantelet
Joliet,
Qu'à son tendre amour, par Marie
Il nous lie.

Notre grand Dieu n'a su trouver meilleur moyen,
Ô chrétien,
Pour descendre sur notre terre,
Qu'une Mère.

Ainsi, chrétiens, pour remonter par *raccourci*
Jusqu'à Lui,
Allons à Jésus par Marie,
C'est la vie.

---

* Cassette: «*À la Grotte des neiges*»

BERCEUSE DE LA MÈRE DE DIEU*

Dors, Dieu fait enfant, dors paisiblement,
Ta Mère veille sur Toi maternellement.
    Viens dormir
    Dans mes bras;
    Viens dormir.
Ta Mère veille sur Toi maternellement.
    Fais dodo,
    Dans mes bras;
    Fais dodo,
    Mon enfant.
Ta Mère veille sur Toi maternellement.

Dors, mon cher Trésor, le monde est méchant!
Il veut Te mettre à mort, Toi son Dieu Tout-Puissant.

Mt 2, 13

    Viens dormir
    Dans mes bras;
    Viens dormir
    Mon enfant.
On veut Te mettre à mort, Toi le Dieu Tout-Puissant.
    Viens dormir
    Dans mes bras,
    À l'abri
    Des méchants,
Qui vont Te mettre à mort, Toi leur Dieu Tout-Puissant.

Dors bien maintenant car pour Toi viendra
L'heure où de la mort, en vainqueur, Tu sortiras.

Mt 20, 19

---

* Cassette: «*Dès le clair matin, je chante Marie*».

Viens dormir
Dans mes bras;
Viens dormir,
Mon enfant.
Le jour où du tombeau Tu ressusciteras
Du sommeil
De la mort
En vainqueur
Sortiras.
Un jour de Ton tombeau Tu ressusciteras.

MON SAPIN VERT*

Mon sapin vert scintille
C'est la nuit de Noël,
D'une timide fille
Va naître l'Éternel.
Prenant notre nature
De son sein virginal,   Ga 4, 4
Il détruit la souillure
Du péché ancestral.   Mt 1, 21

Partout la joie éclate   Lc 2, 10
Un Sauveur nous est né   Lc 2, 11
De couleur écarlate
Le matin est orné.
Pendant ce temps, Marie
Contemple en son berceau,
En extase saisie,
Des enfants le plus beau.

Mon sapin vert scintille,
C'est la nuit de Noël
Au cœur de chacun brille
Bonheur surnaturel.
Chantons avec les anges:
«À tous les hommes, Paix»   Lc 2, 14
Que montent les louanges
D'un univers refait.   Cf. Is 65, 17

---

* Cassette: «*Sur ton épaule, je viens reposer*».

NUIT DE NOËL

Dans le sein d'une obscure Vierge	Lc 1, 27
Dieu vient prendre place chez nous;	Jn 1, 14
D'un océan d'amour l'immerge	
L'Esprit, son virginal Époux[1].	

L'ultime nuit de notre attente
Aux voix des prophètes met fin;   Is 7, 14
Le temps venu, la Vierge enfante
L'Enfant qu'on appelle divin.   Lc 2, 6-7

Marie enveloppe de langes   Lc 2, 12
Son frêle corps de froid gelé,
Cependant qu'une troupe d'anges
Chantent sous le ciel étoilé.   Lc 2, 13

Rien d'autre n'a dit ce mystère
Qui, dans le secret de la nuit,
S'est opéré sur notre terre
Quand le Sauveur y vint, sans bruit.

---

1. L'expression «Épouse du Saint-Esprit» est fréquente chez saint Louis-Marie de Montfort: «Quand le Saint-Esprit, son Époux, l'a trouvée dans une âme, il y vole, il y entre pleinement, il se communique à cette âme abondamment en autant qu'elle donne place à son Épouse» (*Traité de la vraie dévotion à la Sainte Vierge*, n. 36). De même dans le *Secret de Marie*, nos 67, 68; sa prière finale après le Rosaire, la Petite Couronne. Déjà au IVe s. Prudence (348 † après 405) avait ce mot: «Innuba Virgo nubit Spiritui: la Vierge non épousée se maria à l'Esprit» (*Enchiridion marianum*, n. 737). On retrouve l'expression chez Léon XIII, Enc. *Divinum illud munus, Notre-Dame, Les Enseignements Pontificaux*, Desclée, n. 199; Pie XII, Radio-Message pour le Couronnement de N.D. de Fatima, ib. n. 413; Pie XII, prière composée par lui-même, ib. n. 790.

Mais depuis lors, cette Nouvelle
S'est répétée au monde entier.   Mc 16, 15
Ouvrez l'oreille, hommes rebelles,
Il faut que tous vous l'écoutiez !   Nb 20, 10

Étonnement de la nature
Que notre Dieu soit descendu   Ps 118, 23
Pour relever sa créature
Au noble rang qu'elle a perdu.   Cf. Rm 8, 29

CHANTONS PÂQUES*

Le Maître de la vie
Ressuscite en vainqueur;   1 Co 15, 4
La mort est abolie   1 Co 15, 54
La paix renaît au cœur.
Partout la joie éclate,
En ce jour de printemps,
Et la rose écarlate
Chante au Seigneur du temps.

Le Père renouvelle
Toute chose en son Fils;
C'est la «Bonne Nouvelle»   Ac 13, 32
Que Pâques nous redit.
En ce jour d'allégresse,
Les temps sont révolus,
L'Esprit de la Promesse   Ép 1, 13
Anime les Élus.

Habillez-vous de fête,
Vous, tous les baptisés,
Avec Marie en tête
Des hommes rachetés[1].   Lc 1, 47
De tous la plus pascale
En sa pleine splendeur,
Grâce matutinale
De Jésus Rédempteur.

------

* Cassette: «À la source de Massabielle».
1. «Elle occupe la première place parmi ces humbles et ces pauvres du Seigneur qui espèrent et reçoivent le salut de lui avec confiance» (*Lumen Gentium*, n. 55).

GLOIRE À TOI, CHRIST GLORIEUX

Gloire à Toi, Christ glorieux,
En Toi revit l'espérance;   1 Tm 1, 1
Ta victoire ouvre les cieux   Cf. Ap 3, 7
Aux pécheurs en repentance
  Alléluia!

À jamais je chanterai
À mon Dieu reconnaissance;   Ps 89 (88) 2
En son Fils je retrouvai
Une nouvelle naissance   1 Jn 2, 29
  Alléluia!

La branche, au printemps, revit
Sous la généreuse sève;
Ainsi de l'eau dans l'Esprit,
Le baptisé se relève.   Cf. Jn 3, 5
  Alléluia!

Enfant de Dieu, l'aliment
Qui vient soutenir ta vie
Est le divin sacrement
De Jésus Eucharistie.   Jn 6, 51
  Alléluia!

Ô Marie, à ton amour
Toi, des baptisés la Mère,
Je me confie, en ce jour,
Garde-moi fidèle au Père.
  Alléluia!

MÈRE DU RENOUVEAU[1]

Les siècles ont chanté ta grâce sans pareille,
Vierge, Mère de Dieu, qui nous donnes un Sauveur,
Et leur écho, sans fin, célèbre ta grandeur,   Lc 1, 48
Sur terre comme aux cieux, ineffable merveille.

Sous le soleil de mai, la nature se pare,
Et l'hiver en allé n'est plus qu'un souvenir;
Au sous-bois parfumé l'oiseau va revenir,
La frondaison éclate et l'été se prépare.

Au printemps de la grâce en Toi le Rédempteur
Sous l'action de l'Esprit étale sa splendeur,
Prémices du salut, opulence pascale[2].

De l'homme qui subit l'emprise du péché
Prends pitié, Vierge Sainte, rends-lui la liberté;
Illumine sa nuit, clarté matutinale.

---

1. Le Concile de Vatican II nous dit: «Enfin, avec elle, la fille de Sion par excellence, après la longue attente de la promesse, s'accomplissent les temps et s'instaure l'économie nouvelle, lorsque le Fils de Dieu prit d'elle la nature humaine pour libérer l'homme du péché par les mystères de sa chair» (*Lumen Gentium*, n. 55).

2. Dans son immaculée conception, Marie est la première créature humaine à jouir pleinement de la grâce rédemptrice du Christ. La définition dogmatique de ce privilège porte ces mots: «La bienheureuse Vierge Marie, dans le premier instant de sa conception, a été, par une grâce et un privilège spécial du Dieu tout-puissant, en vue des mérites de Jésus Christ, sauveur du genre humain, préservée et exempte de toute tache du péché originel» (Pie IX, Bulle dogmatique *Ineffabilis Deus*, Mgr E. Lemieux, l.c. p. 52).

VIERGE DE MAI*

Le printemps nous est revenu,
De l'horizon lointain souffle l'haleine
De la brise au cours inconnu;
Une douce chaleur gonfle les veines.

Partout éclatent les bourgeons,
Les nids s'emplissent de chansons,
Le soleil est plus généreux
Et tous les êtres plus heureux.

Le printemps nous est revenu
De l'horizon lointain souffle l'haleine
De la brise au cours inconnu;
Une douce chaleur gonfle les veines.

Pour couronner, Vierge de mai,
Ton incomparable beauté, si pure,
Aucune rose ne trouvai
Qui Te puisse être une digne parure.

Les plus belles fleurs d'ici-bas
Bientôt se fanent sous nos pas;
Alors ai voulu trouver mieux
En décrochant l'étoile aux cieux.

Le printemps nous est revenu
Que nos chants célèbrent la Vierge pure;
Pour lui dresser digne menu
Venez, chantez, vous, toutes créatures.

---

* Cassette: «*Au pied du rocher, confidences à Marie*»

VIENS EN MOI, DIVIN ESPRIT*

Viens en moi, Divin Esprit,
Remplis-moi de ta grâce,
Toi, lumière dans ma nuit,
Qu'en moi brille ta face!

Fais-moi part de tous tes dons,
Sans Toi, que puis-je faire?   Jn 15, 5
Rien en moi qui soit bon   Ps 38 (37), 4
Rien pour Te satisfaire.

Garde-moi de T'offenser
Pendant ma vie entière,
Et j'irai sans trébucher   Rm 8, 26
Sous ta douce lumière.

Quand mon chemin est obscur
Et que surgit le doute,
Ton conseil est guide sûr
Pour m'indiquer la route.

Ta puissance a fécondé   Lc 1, 35
Ton Épouse, Marie,
D'Elle un Sauveur est né   Lc 2, 11
Pour nous rendre la vie.   1 Jn 3, 14

Esprit du Père et du Fils,
Lien d'amour ineffable,
À tous les cœurs désunis
Assure paix véritable.   Ga 5, 22

---

* Cassette: «*Sur ton épaule je viens reposer*».

ESPRIT SAINT, DIEU DE LUMIÈRE

Esprit Saint, Dieu de lumière,
Viens secourir ma misère,   Rm 8, 26
Chasse l'ombre du péché,
Mets en moi ta sainteté.

De ta présence ineffable
Sans Toi je suis incapable,
Rien n'exprime mieux ton nom
Que d'être «Dieu pur Don[1]».

Hôte divin de mon âme,
Communique-moi ta flamme;
Doux lien de la Trinité,
Remplis-moi de charité.

De tes richesses multiples
Dont Tu fis part aux disciples
Au Cénacle réunis,
Donne les biens infinis.

Avec Marie, au Cénacle,   Ac 2, 1-4
S'est produit le grand miracle
D'où naît un monde nouveau,
Fruit de l'Esprit et de l'eau.

---

1. S. Thomas, 1, q. 38, a. 1. Selon s. Thomas, l'expression «personne-don» est le *nom propre* de l'Esprit Saint. L'expression est reprise par Jean-Paul II dans son encyclique *Dominum et vivificantem* sur le Saint-Esprit. «L'Esprit Saint a d'abord été envoyé comme don au Fils qui s'est fait homme... Après le départ du Christ-Fils... l'Esprit Saint viendra directement — c'est sa mission nouvelle — pour achever l'œuvre du Fils» (n. 22).

De ce jour, Vierge Marie,
En l'Église qui Te prie,
Par Toi sans cesse l'Esprit[2]
Se donne à ceux qu'il remplit.

---

2. « Marie a produit, avec le Saint-Esprit, la plus grande chose qui ait été et sera jamais, qui est un Dieu-Homme, et elle produira conséquemment les plus grandes choses qui seront dans les derniers temps. La formation et l'éducation des grands saints qui seront sur la fin du monde lui est réservée... (s. Louis-Marie de Montfort, *Traité de la vraie dévotion à la sainte Vierge*, n. 35).

JÉSUS-EUCHARISTIE*

Jésus, dans l'Eucharistie
Tu veux Te donner à moi;
Tu T'es fait mon Pain de vie   Jn 6, 35
Que je reçois dans la foi.   Cf. Jn 6, 69
Viens, Seigneur, je Te désire:
Viens enflammer mon amour
Car T'aimer fait mon martyre
Incessant la nuit, le jour.

Sans cesse entre ciel et terre
Tu T'élèves par les mains
Du prêtre qui T'offre au Père
Pour le salut des humains.
De l'autel coule ta grâce
Sur un monde malheureux,
Donne-lui d'être efficace
Pour conduire l'homme aux cieux.

Je ne peux, Vierge Marie,
De ton Fils Te séparer
C'est de Toi, Mère bénie,
Qu'Il prend sa chair à manger[1].
Avant de venir au monde,
Il habita dans ton sein   Lc 1, 31
C'est encore en Toi qu'il fonde
L'Église de son dessein[2].

---

* Cassette: «*Dès le clair matin, je chante Marie*».
1. L'Église chante: «Ave verum Corpus, natum de Maria Virgine:
Salut, vrai corps, né de la Vierge Marie.»
2. S. Pie X écrit dans son encyclique «*Ad diem illum*»: «Ainsi dans
le chaste sein de la Vierge, où Jésus a pris une chair mortelle, là-même

il s'est adjoint un corps spirituel formé de tous ceux qui devaient croire en lui: et l'on peut dire que, tenant Jésus dans son sein, Marie y portait encore tous ceux dont la vie du Sauveur renfermait la vie. Nous tous donc, unis au Christ, sommes, comme parle l'Apôtre, les membres de son corps issus de sa chair et de ses os, nous devons nous dire originaires du sein de la Vierge, d'où nous sortîmes un jour à l'instar d'un corps attaché à sa tête» (Mgr E. Lemieux, *Maria*, t. 1, p. 288).

COMMUNION

Jésus, je viens de recevoir
Ton Corps, ton Sang versé pour moi   He 13, 12
Comment oser le concevoir?
   Je suis saisi d'effroi
     D'effroi.

C'est Toi, Jésus, le Pain Vivant   Jn 6, 48
Sans Toi nul homme ne peut rien   Jn 15, 5
Ton Sang est le vin enivrant
   Qui m'apporte tout bien,
     Tout bien.

Marie en son sein T'a formé
Pour Te faire mon aliment
Qu'en Toi, Seigneur, je sois changé   Cf. Jn 6, 56
   À tout jamais, vraiment,
     Vraiment.

ACTION DE GRÂCES

Toi, Seigneur, que j'ai reçu
   Tu es Fils de Marie   Mc 6, 3
   Qui, dans son sein, T'a conçu   Lc 1, 31
   Pour nous donner ta vie.
   Prenez, mangez
   Le Pain de l'éternité;
   Prenez, mangez
   Vous serez rassasiés.   Jn 6, 51

Par ton Corps et par ton Sang
   Devenus nourriture   Jn 6, 58
Communique à tes enfants
   Ta divine nature.   Cf. Jn 6, 57

Seigneur, en ce sacrement
   L'homme trouve courage
Pour marcher allègrement
   Sans peur, face à l'orage.

Quand pour moi viendra la fin
   de mon séjour sur terre
Tu assouviras ma faim
   De Te voir sans mystère.   Cf. Jn 14, 3

SEIGNEUR JÉSUS, JE T'AIME

Seigneur Jésus, je T'aime,
Viens vivre chez moi:
Il n'est bonheur suprême
En dehors de Toi.
Le soir, quand tout s'efface,
Je ferme mes yeux,
Découvre-moi ta face
Je T'aimerai mieux.

En ton Eucharistie
Tu nourris ma foi;
Dans l'Hôte de l'hostie
J'accueille mon Roi.
Combien d'hommes T'ignorent
Qui, pour leur malheur,
Tant de faux dieux adorent,
Séduits par l'erreur[1].
Il te revient, Marie,
Mère des chrétiens,
D'engendrer à la Vie[2]

---

1. « Atteints par la faute originelle, les hommes sont tombés souvent en de nombreuses erreurs sur le vrai Dieu, la nature humaine et les principes de la loi morale... De nos jours encore certains, se fiant plus que de raison aux progrès de la science et de la technique, sont enclins à une sorte d'idolâtrie des choses temporelles: ils en deviennent les esclaves plutôt que les maîtres » (Décret sur *L'Apostolat des laïcs*, n. 7).

2. En vérité, engendrer à la vie ne peut avoir son plein sens que dans la vie éternelle, aboutissement normal de la vie baptismale. Le baptême, à proprement parler, est plutôt une conception qu'une naissance. La véritable naissance a lieu par l'entrée dans la vie éternelle, au ciel. C'est en ce sens que saint Louis-Marie de Montfort paraphrasant saint Paul (Ga 4, 19) écrivait: « ... tous les prédestinés pour être conformes à l'image

Tous ceux qui sont tiens.
Conduis-moi, Sainte Mère,
Vers ton Fils, Jésus,
Par Lui je vais au Père
Parmi ses Élus.

Cf. Jn 14, 2-3

du Fils de Dieu, sont en ce monde cachés dans le sein de la Très Sainte Vierge, où ils sont gardés, nourris, entretenus et agrandis par cette bonne Mère, jusqu'à ce qu'elle ne les enfante à la gloire, après la mort, qui est proprement le jour de leur naissance comme l'Église appelle la mort des justes (*Traité de la vraie dévotion à la Sainte Vierge*, n. 33). Le Concile de Vatican II développe la même idée: «Cette maternité de Marie dans l'économie de la grâce se continue sans interruption jusqu'à la consommation définitive de tous les élus... Son amour maternel la rend attentive aux frères de son Fils dont le pèlerinage n'est pas achevé, ou qui se trouvent engagés dans les périls et les épreuves jusqu'à ce qu'ils parviennent à la patrie bienheureuse» (*Lumen Gentium*, n. 62).

La mariologie actuelle est de plus en plus attentive à ce rôle eschatologique de Marie. «Mère du Christ glorieux, elle est la mère du Corps ecclésial qu'il a fait naître, le Corps qui vit de l'Esprit de la Pentecôte (1 Co 12) avec ses ministères charismatiques, Corps qui a sa croissance par l'Esprit (Ép 4, 13-16) dans la nouvelle liturgie des communautés chrétiennes d'où la place de Marie à l'Eucharistie qu'est le sacrement de la croissance du corps du Christ où les membres participent à la chair et au sang du fils de Marie. Sa maternité dans l'Esprit commencée à l'Incarnation continue... La manière spécifique de la présence active de Marie dans l'Église de son fils, c'est l'exercice de la fonction maternelle. Elle contribue donc à l'achèvement des derniers temps dans une «consommation du siècle *synteleia tou aionou*» (Mt 28, 20). (H. Cazelles, p.s.s. *Marie et les derniers temps*, dans Études Mariales, *Marie et la fin des temps*, I Approche biblique, 41e Session 1984, p. 44).

VIERGE SAINTE

Vierge Sainte,
Je veux avec Toi louer Dieu.
Ta parole est celle d'une Mère,
Ta prière
Toujours est accueillie aux cieux,
Pour aider les enfants que Tu aimes.
Souviens-toi des jours que, sur la terre,
Tu vécus, comme nous, parmi nos misères.   Lc 2, 7
                                                   Mt 2, 14
Vierge Sainte,
Je veux avec Toi louer Dieu.
Avec Toi je l'adore et j'espère.
Quand le mal est trop fort
À me faire crier
Et que je crains ne pouvoir me taire,
Lors je crois que Tu es capable de m'aider.
Ma détresse ne peut me détourner
D'espérer en ton pouvoir de Mère.
Tu es là toujours maternelle et tendre.

Vierge Sainte,
Je veux avec Toi louer Dieu.
Dans la joie et les larmes, je T'aime.
Te chanter mon amour
C'est là tout mon bonheur,
Pour qu'un jour, dans la gloire,
Je m'en aille avec Toi,
Ô Marie, louer Dieu.

PLUS DOUX QUE LE MIEL*

Plus doux que le miel, ton Nom, Vierge sainte,
Ô Reine des cieux,
Des lèvres d'enfant, du pauvre en sa plainte
Et du malheureux,
Monte suppliant ainsi que la brise
Sur la paix du jour quant tombe le soir.
Garde-nous toujours sous ton emprise
Afin qu'à jamais brille en nous l'espoir.

Tes pieds ont marché dans notre poussière,
Foulé nos cailloux;
Docile à l'Esprit, avec la misère
Tu prends rendez-vous.
Fille de chez nous que rien ne rebute,
Descends du ciel bleu, fais route avec nous;
L'appui de ton bras assure la lutte,
Par Toi nous vaincrons, plus forts jusqu'au bout.

Les mots d'ici-bas jamais ne vont dire
Toute ta splendeur;
La terre et le ciel forment ton empire,
Ô Reine des Cœurs!
Pour Te célébrer toutes les musiques
Aux accords puissants ébranlent les cieux
Et nos faibles voix, en accents mystiques,
Essaient de chanter ton Nom glorieux.

---

* Cassette: « *Sur les ondes de Grotte fleurie* ».

PRIÈRE À MARIE*

Je n'ai pas les mots qu'il faut
  Quand je viens pour Te voir,
Toi qu'on dit du Dieu Très-Haut
    Le Miroir[1].
  Ta beauté, pour l'exprimer,   Sg 7, 26
  Aux langues des élus
Il faudrait lors emprunter
    Sans plus.

Toi qui peux donner la grâce
  À ceux d'ici-bas,
Garde-moi donc une place   Cf. Jn 14, 3
    Près de Toi.   Cf. Ps 73 (72), 24
Je sais bien que Tu es Mère
  De tous les humains
Près de Toi, je ne crains pas
    Demain.

Nous prions, aux mauvais jours,
  Donne-nous du pain;
Nous prions pour que l'Amour
    Vienne enfin!
Et qu'ainsi, enfants de Dieu,
  Tous UN dans le Christ   Jn 17, 21
Nous soyons, dès maintenant
    Tes fils.

---

* Cassette: «Au pied du rocher, confidences à Marie».
  1. «Je vous salue, Marie, Miroir de la Divinité» (s. Louis-Marie de
Montfort, Cantique 90, str. 40).

Il n'est pas si loin le temps
Où je viendrai Te voir
Toi qu'on dit du Très-Haut
Le Miroir.
Ta beauté je chanterai
Et serai heureux
Car par Toi je m'en irai
Chez Dieu.

LAISSE-MOI TE DIRE

Laisse-moi Te dire, ô Marie
Tout l'amour que j'ai pour Toi.
Te servir est toute ma vie[1]
Je ne veux pas d'autre loi.
Dieu voulut quand il vint sur terre
Humblement naître de Toi   Lc 2, 7
Depuis lors, Tu restes sa Mère,
Veuille intercéder pour moi.

De Ton Fils grave en moi l'image
En tout point fidèle à Lui[2].
Les grands saints sont tous Ton ouvrage
En communion avec l'Esprit.
Tel est bien le profond mystère
Pour tout chrétien ici-bas,
Par Jésus, il accède au Père,   Jn 14, 6
Marie en guide les pas.

---

1. «Tuus totus ego sum» Je suis tout à vous et tout ce que j'ai
vous appartient, ô mon aimable Jésus, par Marie, votre sainte Mère»
(V. D. 2). C'est à ces mots que Jean-Paul II a emprunté sa devise, rappe-
lant au journaliste André Frossard l'influence qu'avait eue sur lui le
Traité de la vraie dévotion à la sainte Vierge de s. Louis-Marie de Montfort. Le 16 sept. 1983, à l'occasion du Congrès mariologique de Malte,
il écrivait au Card. Papalardo, arch. de Palerme: «Moi-même, il y a 25
ans, ai consacré mon épiscopat à la Reine du Ciel par les mots bien con-
nus maintenant de *Totus tuus* et en mettant la première lettre (M) dans
mon blason, j'ai toujours apporté tous les soins et mon énergie à pour-
suivre et à garantir de tout mon cœur l'honneur de Marie, l'étude de
la doctrine mariale et de son exemple» (Oss. rom. 4 oct. 1983, p. 12).

2. «Mais, pour ceux qui embrassent ce secret de la grâce que je leur
présente, je les compare avec raison à des fondeurs et mouleurs qui
ayant trouvé le beau moule de Marie, où Jésus Christ a été naturelle-
ment et divinement formé (...) se jettent et se perdent en Marie pour
devenir le portrait au naturel de Jésus Christ» (V. D. 220).

44

Jusqu'aux derniers temps de l'Église
Tu dois former les élus[3]
C'est par Toi que, sous Ton emprise,
Je veux aller à Jésus.
Le corps entier n'a qu'une Mère[4];
Autour de Toi réunis
Pour l'éternité tout entière
Nous serons tous un seul fils.

---

3. « C'est avec elle et en elle et d'elle que (le Saint-Esprit) a produit son chef-d'œuvre, qui est un Dieu fait homme, et qu'il produit jusqu'à la fin du monde les prédestinés... » (V.D. 20).

4. « Si Jésus Christ, le chef des hommes, est né en elle, les prédestinés qui sont les membres de ce chef, doivent aussi naître en elle par une suite nécessaire. Une même mère ne met pas au monde la tête ou le chef sans les membres, ni les membres, sans la tête; autrement ce sera un monstre de nature; de même dans l'ordre de la grâce, le chef et les membres naissent d'une même mère; et si un membre du corps mystique de Jésus Christ, c'est-à-dire un prédestiné, naissait d'une autre mère que Marie qui a produit le chef, ce ne serait pas un prédestiné, ni un membre de Jésus Christ, mais un monstre dans l'ordre de la grâce » (V.D. 3).

RECUEILLEMENT

Moment d'extase
Que nulle phrase
Ne saurait exprimer
Hormis le mot « Aimer » !
Quand la pénombre
Avant la nuit sombre
Baigne en ta paix, Seigneur, hommes et choses,
Vers Toi je viens, sûr de ton amour
Chercher ta grâce et ton pardon,
Jésus, mon Rédempteur,
Et Te donner mon pauvre cœur.

Vierge fidèle,
Parfait modèle,
Que je contemple aux cieux,
Vers moi tourne tes yeux,
Verse en mon âme
L'ardeur de la flamme
Qui brûle en Toi, foyer incomparable,
Rappelle-Toi, du haut de sa Croix,
Jésus Te donne à tous pour Mère; Cf. Jn 19, 26
Marie, à chaque jour,
Veille sur nous avec amour.

Ô VIERGE PURE*

Ô Vierge pure,
Nous Te couvrons
De nos guipures,
De nos festons;
Avec les anges
L'éternité
Dira louanges
À ta beauté.

Dans son amour, Vierge Marie,
Entre toutes Dieu T'a bénie   Lc 1, 42
Quand il descendit en ton sein
Pour accomplir son grand dessein.   Jn 3, 16

Tu devins Mère
De Jésus Christ   Mc 6, 3
Et l'homme espère
Grâce à ton Fils.   Cf. Ac 4, 12
À ses côtés, Corédemptrice,
Offrant sa mort expiatrice,
Ève nouvelle auprès d'Adam¹,
Tu rends la vie à tes enfants.

---

* Cassette: « *Sur ton épaule, je viens reposer* ».

1. Soulignant la *foi* de Marie dont « le moment 'décisif' fut l'Annonciation, et les paroles mêmes d'Élisabeth: 'Bienheureuse celle qui a cru' qui se rapportent en premier lieu à ce moment précis », Jean-Paul II dans son encyclique *Redemptoris Mater* (n. 13) rappelle en note le texte bien connu de saint Irénée: « De même que par le fait d'une vierge qui avait désobéi l'homme fut frappé, tomba et mourut, de même aussi par le fait de la vierge qui a obéi à la parole de Dieu l'homme ranimé a, par la vie, reçu la vie...; parce qu'il fallait... qu'Ève récapitule en Marie, afin qu'une vierge se faisant l'avocate d'une vierge détruisit et abolit la désobéissance d'une vierge par l'obéissance d'une vierge » (*Démons-*

Ô divin moule [2]
Où les élus,
Immense foule,
En Toi fondus,
Prennent l'image
En tous ses traits
Du doux visage
Du Fils parfait.
De ses enfants, Mère accomplie,
Dieu fait de Toi, Vierge Marie,
L'éducatrice jusqu'au bout [3]
De tous les temps et de partout.

---

tration de la prédication apostolique, 33). Voir aussi à ce sujet l'excellente étude de Louis Menvielle, *Marie, Mère de vie,* approche du mystère marial à partir d'Irénée de Lyon. Éditions du Carmel, 1986.

2. « Remarquez, s'il vous plaît, que je dis que les saints sont moulés en Marie. Il y a une grande différence entre faire une figure en relief, à coups de marteau et de ciseau, et faire une figure en la jetant en moule: les sculpteurs et statuaires travaillent beaucoup à faire les figures dans la première manière, et il leur faut beaucoup de temps: mais à les faire dans la seconde manière, ils travaillent peu et les font en fort peu de temps. Saint Augustin appelle la Sainte Vierge *forma Dei*: le moule de Dieu... Celui qui est jeté dans ce moule divin est bientôt formé et moulé en Jésus Christ, et Jésus Christ en lui: à peu de frais et en peu de temps, il deviendra dieu, puisqu'il est jeté dans le même moule qui a formé un Dieu » (s. Louis-Marie de Montfort, *Traité de la vraie dévotion à la sainte Vierge,* n. 219).

3. « Cette maternité de Marie dans l'économie de la grâce se continue sans interruption jusqu'à la consommation définitive de tous les élus » (*Lumen Gentium,* n. 62). Dans le même sens, saint Louis-Marie de Montfort écrivait déjà: « Marie a produit avec le Saint-Esprit, la plus grande chose qui ait été et sera jamais, qui est un Dieu-Homme, et elle produira conséquemment les plus grandes choses qui seront dans les derniers temps. La formation et l'éducation des grands saints qui seront sur la fin du monde lui est réservée » (*Traité de la vraie dévotion à la Sainte Vierge,* n. 35).

UN JOUR, TU VINS VISITER NOTRE TERRE*

Un jour,
Tu vins
Visiter notre terre;
Par Toi
La Paix
Refleurit à la place du péché
Pour que notre monde
Goûte enfin au bonheur rêvé.

Près de nous, Mère de grâce,
Sois présente à notre vie;
Donne-nous, blanche Colombe,
D'aimer Dieu d'un cœur vaillant;
Donne-nous, blanche Colombe,
Ta pureté virginale,
Pour que le Seigneur retrouve
Ton image en tes enfants[1].

Sur moi
Toujours
Ton regard tutélaire
Avec
Amour
Veillera, maternel et prévenant,
Pour que, sur la route,
Ne défaille mon pas d'enfant.

---

* Cassette: « *Sur les ondes de Grotte fleurie* ».
1. « Quand viendra ce temps heureux et ce siècle de Marie, où plusieurs âmes choisies et obtenues du Très-Haut par Marie, se perdant elles-mêmes dans l'abîme de son intérieur, deviendront des copies vivantes de Marie, pour aimer et glorifier Jésus Christ ? Ce temps ne viendra que quand on connaîtra et on pratiquera la dévotion que j'enseigne » (s. Louis-Marie de Montfort, *Traité de la vraie dévotion à la sainte Vierge*, n. 217).

ABANDON À MARIE*

À l'exemple de Bernadette,
J'accours, Marie, à ton Rocher;
Auprès de Toi, c'est toujours fête
Et vrai bonheur de T'approcher.

Ref. Mère chérie et débonnaire,
Au cœur tout rempli de bonté,
Mère chérie et débonnaire
Qu'on ne peut s'empêcher d'aimer.

Quand sous le poids de ma misère,
Je viens à tes pieds en pleurant,
Aussitôt mon âme est légère
Car Tu souris à ton enfant.

À la source de Massabielle,
Tu me guéris de ma douleur,
Si profonde et dure soit-elle,
Elle trouve appui sur ton cœur.

Je reprends route avec courage
Quand j'ai reçu ton réconfort,
Si la tempête en moi fait rage
Ton amour reste encor plus fort.

À ton Fils dans l'Eucharistie
Tu conduis, Mère, ton enfant[1],
Pour l'alimenter à sa Vie
Qu'il partage dès maintenant.

---

* Cassette: «*À la source de Massabielle*».
1. «Le propre de la Sainte Vierge», écrit saint Louis-Marie de Mont-

fort, «est de nous conduire sûrement à Jésus Christ comme le propre de Jésus Christ est de nous conduire sûrement au Père éternel» (*Traité de la vraie dévotion à la Sainte Vierge*, n. 164). Plus loin, montrant comment elle entretient ses fidèles serviteurs de tout pour le corps et pour l'âme: «Elle leur donne à manger», dit-il, «les mets les plus exquis de la table de Dieu; elle leur donne à manger le pain de vie qu'elle a formé» (ib. n. 207).

RETOUR DU PRODIGUE*

Prodigue dans son malheur
Qui revient vers son Père,   Lc 15, 20
Devant Toi, Dieu, mon Sauveur,
J'apporte ma misère.
Tu m'ouvres grands tes deux bras   Lc 15, 20
Pour m'accueillir à table   Lc 15, 23
Et déguster le veau gras
D'un festin délectable.

N'aurais-je jamais péché,
Vivant toujours en grâce,
Je n'aurais pu rechercher
Une plus belle place.
Tu m'apportes les habits   Lc 15, 22
Qui m'habillaient aux fêtes;
Rien n'est trop beau pour ton fils,
Tu veux qu'on l'en revête.

Chez Toi, Dieu, ta loi d'amour
Sans se lasser accorde
Mille pardons, sans retour,
De ta miséricorde.
Ton fils cadet était mort   Lc 15, 24
Il a repris la vie,
Scelle désormais son sort
En ta gloire infinie.

_____

* Cassette: « _Sur ton épaule, je viens reposer_ ».

MARIE, À TOI MON SALUT MATINAL*

Quand le soleil de ses rayons
Dore déjà l'horizon
Sur l'herbe fraîche de rosée
La tourterelle posée
Laisse éclater son chant vers le ciel
L'écho répond fraternel
Marie, à Toi, mon salut matinal,
À Toi mon amour loyal !

Marie, en Toi, le Seigneur a refait
Ce qu'Adam pécheur a défait
Toi, son chef-d'œuvre en tout parfait
Marie, à Toi, mon salut matinal,
De Dieu chef-d'œuvre en tout parfait
Je veux Te chanter à jamais.

---

* Cassette: «Sur ton épaule, je viens reposer».

Ô MÈRE, VOICI TON ENFANT*

Ô Mère, voici ton enfant,
Daigne accueillir sa prière,
En Toi, s'il se sent impuissant,
Sa confiance est entière.
Tu peux tout auprès de Jésus,   Cf. Jn 2, 3
Attire en moi la Sagesse,
Je ne demande rien de plus,
Pour recevoir tes largesses.
Tendre Mère, dis à ton Fils
Que profonde est ma misère,
Que son amour seul me suffit
Plus que tout sur la terre.

Auprès de Lui, pendant trente ans,   Cf. Lc 2, 51-52
Tu vécus ta vie obscure,
À son école recevant
Tous les jours doctrine pure.
Sa Parole devint ton Pain,
Tu la ruminais sans cesse,   Lc 2, 19
Tout le jour, jusqu'au lendemain,
Le cœur rempli d'allégresse.
Chère Mère, dis à Jésus
Que je veux, à ton école,
Toi, le modèle des vertus[1],
Approfondir sa Parole[2].

---

* Cassette: «*Au pied du rocher, confidences à Marie*».

1. « De l'Église, selon l'enseignement de saint Ambroise, la Mère de Dieu est le modèle dans l'ordre de la foi, de la charité et de la parfaite union au Christ » (*Lumen Gentium*, n. 63).

2. « Au cours de la prédication de Jésus, elle accueillit les paroles par lesquelles le Fils, mettant le Royaume au-delà des considérations et des liens de la chair et du sang, proclamait bienheureux ceux qui écoutent et observent la parole de Dieu, comme elle le faisait fidèlement elle-même » (ibid. n. 58).

LA VALSE DES ANGES*
Menuet

À la Reine des Anges
Adressons nos louanges
Aux accents sans mélange
Des sons les plus joyeux

Comme aux cieux, sur la terre,
Célébrons son mystère
D'un cœur pur et sincère,
Elle est Mère de Dieu.

Quand la misère abonde,
Jésus vient au monde,
Sa grâce nous inonde,   Rm 5, 20
Nous sommes sauvés.

Mais c'est grâce à Marie,
La Vierge bénie,
Qu'à la peine abolie
Avons échappé.   Cf. 2 Tm 1, 10

À la Valse des Anges
La la la la la
Menuet étrange
Pour nous ici-bas,

Nous entrons dans la ronde
La la la la la
La joie est profonde,
Nous emboîtons le pas.

---

* Cassette: «*Au pied du rocher, confidences à Marie*».

À la Reine des Anges
Adressons nos louanges
Aux accents sans mélange
Des sons les plus joyeux.

SOUVENIR D'ENFANCE*

Je garde dans mon souvenir
La figure de ma mère;
Pour moi ce n'était que partir
Lorsqu'on l'a mise en terre.
C'est bien tard, hélas! que j'ai compris
Plus jamais son doux visage
Ne reviendra sourire à mes yeux ravis.
J'en suis encore inconsolable,
Ô toi, ma mère tant aimable!

Tu m'avais appris à aimer[1]
Dans une foi sereine
Celle qu'il faut toujours vénérer
Ici-bas pour Mère et Reine
Et j'en ai toujours bien gardé
La fidèle habitude:
Je veux t'exprimer
Ma gratitude
De m'avoir révélé Marie,
De m'avoir fait aimer Marie.

---

* Cassette: «*Dès le clair matin, je chante Marie*».
1. Un grand philosophe catholique de notre siècle, Aimé Forest, raconte comment l'exemple de sa mère croyante a imprégné son âme enfantine. «Les souvenirs les plus purs sont pour moi ceux de notre prière commune. Nous célébrions le mois de Marie avec une grande ferveur, parmi la beauté qui éclatait de toutes parts dans notre campagne. Nous récitions les Litanies de la Sainte Vierge qui étaient alors et qui sont restées pour moi la dévotion la plus haute et la plus pure. Cette pratique a été continuée après la mort de maman, dans notre maison de Limoges. Un soir Jeanne était parmi nous à ce moment, avant nos fiançailles. Elle m'a dit qu'elle avait été éblouie en entendant ces invocations et qu'elle avait retenu dans un émerveillement ce mot: 'Maison d'Or'» (Aimé Forest, *Nos promesses encloses*, Beauchesne, Paris, 1985, p. 1).

À TOI, CE SOIR*

Marie, à Toi, ce soir
Je viens redire mon amour
Garde-moi dans l'espoir
D'aller Te contempler un jour.

Dans la nuit et le vent
Quand tout homme se gare,
Veille sur ton enfant,
Préviens qu'il ne s'égare.

Si je marche à tâtons
Et que mon pied trébuche,
Plus sûre qu'un bâton
Ta main lève l'embûche.

Marie, à Toi, ce soir,
Tout le parfum de mon amour
Comme d'un encensoir
Jaillit et embaume alentour.

Ô Reine des élus,
Pour T'aimer encor plus
Je veux
Que tous, à l'unisson des anges
Te chantent leurs louanges.

---

* Cassette: «*Au pied du rocher, confidences à Marie*».

MERCI, SEIGNEUR*

Daigne agréer, Seigneur, l'hommage de mes vœux
Pour tous ces jours où Tu me combles de joie,
Pour l'éclat du soleil ou la fête des soirs,
Quand s'allument là-haut tous les feux de la nuit.

Ps 136 (135), 9

L'hommage musical de toute la nature,
Du rire des étoiles aux larmes de la pluie,
Du puissant ouragan, du tonnerre, des eaux
En magnifique accord Te chante son refrain.

Les cieux T'adorent, la terre exalte Ton Nom,
Les ondes de l'écho répètent leur louange.
Vous, toutes les nations, prenez voix au concert
Qui monte en symphonie de par tout l'univers.

Ô Reine du créé[1], en Toi Dieu réunit
Tout ce qu'en sa Sagesse il a pu inventer:
Il T'a donné son Fils: «Tout m'a été remis»,   Lc 10, 22
Avec Toi, en Lui, je veux dire à Dieu: Merci!

---

* Cassette: «*Sur ton épaule, je viens reposer*».

1. «Enfin la Vierge Immaculée, préservée par Dieu de toute atteinte de la faute originelle, ayant accompli le cours de sa vie terrestre, fut élevée corps et âme et à la gloire du ciel, et exaltée par le Seigneur comme la Reine de l'univers» (Lumen Gentium, n. 59).

BLUETTE MARIALE*
Menuet

Ô Marie
Bénie
À Toi mon amour;
Je Te chante,
Touchante,
Mon amitié, chaque jour.

Dans le doute,
La route
Me saisit d'effroi;
Ta lumière
M'éclaire
Quand je marche avec Toi.

Tendre Mère,
J'espère
Ton puissant secours;
En tourmente
Violente
Toi seule est mon recours.

Secourable,
Aimable,
Réponds à mes cris;
Je T'implore
Encore
Et Toi, Tu me souris.

---

* Cassette: «*À la source de Massabielle*».

Ô Marie,
Bénie,
À Toi mon amour;
Je Te chante,
Touchante,
Mon amitié, chaque jour.

NOTRE-DAME DE L'ASSOMPTION*

En ce beau jour, tout le ciel est en fête,
Le Paradis T'accueille triomphant;
Mère de Dieu, créature parfaite,
Dieu Te couronne, il s'est fait ton enfant[1].
Réjouis-Toi, ta grâce originelle
Trouve dès lors parfait achèvement[2]:
Ta chair partage avec l'âme immortelle
Même bonheur, même rayonnement (bis).

Ô douce Reine, ô douce Reine,
Le monde entier chante ton nom,
Règne sur nous en Souveraine,
De tous nos cœurs, voici le don,
Ô douce Reine, ô douce Reine.

Vierge Marie, auguste et tendre Mère,
Daigne accueillir les vœux de ton enfant,
En ton amour, toujours son cœur espère,
Auprès de Toi, garde-le confiant.
Si le malheur vient menacer sa vie
Et que son âme est prise de stupeur,

---

* Cassette: «*Sur les ondes de Grotte fleurie*».
1. «Venez, adorons le Roi des rois: aujourd'hui la Vierge sa Mère est élevée dans les cieux» (Invitatoire de l'Office de la fête).
2. Ce n'est pas sans raison que dans la définition dogmatique de l'Assomption figure la référence à l'*Immaculée*: «C'est un dogme divinement révélé que Marie, l'Immaculée Mère de Dieu toujours Vierge, à la fin du cours de sa vie terrestre, a été élevée en âme et en corps à la gloire céleste» (Pie XII, Constitution apostolique «*Munificentissimus Deus*» dans Mgr Ernest Lemieux, *Marie* III, p. 237). L'Immaculée Conception appelle l'Assomption comme la semence de la plante appelle le fruit. C'est l'ultime perfection apportée à la grâce initiale de Marie.

62

Assiste-le de ta force, ô Marie,
Par ton soutien, il sortira vainqueur (bis).

Ô douce Reine, ô douce Reine,
Le monde entier chante ton nom,
Règne sur nous en Souveraine,
De tous nos cœurs, reçois le don,
Ô douce Reine, ô douce Reine.

CONFIANCE*

Ce jour où j'ai prié,
Jamais mon cœur n'a redouté
En ton amour, fondé,
D'avoir trop demandé.

Ce jour où j'ai péché,
Dans ma douleur, au sol, prostré,
Vers Toi j'ai supplié,
Ta main m'a relevé.

Ce jour où j'ai pleuré,
Criant ma peine à ta bonté,
Ta voix m'a consolé,
Ton bras, réconforté.

Ce jour où j'ai chanté:
« Merci, sur moi d'avoir veillé »,
Mère, Tu m'as comblé
Pour toute éternité.

Ce soir, je viens encor
Chercher près de Toi réconfort
Comme l'Enfant s'endort
Sans crainte de son sort,
Confiant, confiant
En sa seule maman.

---

* Cassette: « *Dès le clair matin, je chante Marie* ».

AVE DU SOIR*

Quand du soir souffle la chaude haleine
Et que s'endort
De l'oiseau la voix mélodieuse et sereine,
De la terre monte vers Toi, Reine des cieux,
La voix d'or
Des Ave pieux.
Ave Maria, pleine de grâce,
Ave Maria, pleine de grâce,
Ave, Ave, Ave Maria.

Dans la nuit, longue est son insomnie,
Quand la douleur
Au malade allité, n'apporte d'accalmie,
En silence monte vers Toi, Reine des cieux,
La douceur
Des Ave pieux.
Ave Maria, pleine de grâce,
Ave Maria, pleine de grâce,
Ave, Ave, Ave Maria.

Quand la mort fermera ma paupière,
Au dernier soir,
Près de moi que l'on récite encor la prière
Qui si souvent montait vers Toi, Reine des cieux,
Doux espoir,
Des Ave pieux.
Ave Maria, pleine de grâce,
Ave Maria, pleine de grâce,
Ave, Ave, Ave Maria.

---

* Cassette: «*Dès le clair matin, je chante Marie*».

NOTRE-DAME DES SAISONS

Le soleil dore de ses rayons
Les derniers épis de nos moissons,
La prairie, ô Notre-Dame,
Laisse monter sa chanson,
Et des lèvres de tous ses sillons
Vers Toi, Reine des Quatre Saisons,
Jaillit l'hymne qui T'acclame
Et tous les échos le proclament.
Comme une gerbe dorée,
Ta vie alors écoulée,
Dieu T'a prise dans les cieux,
Ô Sainte Mère de Dieu;
En marchant par tes chemins
Nous atteindrons notre fin.
Le soleil dore de ses rayons
Les derniers épis de nos moissons,
Nous Te chantons, Notre-Dame,
Toi, la Reine des Quatre Saisons.

L'ANGÉLUS*

Quand le soleil, à l'horizon,
À travers la brume légère,
Dore déjà de ses rayons
Des montagnes la cime altière,
Écoutez bien, dans le clocher
D'une humble église de village,
Quand sonne l'Angélus
L'appel divin qui vient toucher
Même le cœur le plus volage,
    Par l'Angélus,
    Par l'Angélus.

Quand Gabriel vint saluer   Lc 1, 28
Une timide jeune fille,
Au nom de Dieu, pour annoncer
Que désormais le salut brille,
Enfin l'espoir de son pardon
Retire à l'homme sa disgrâce,
Car, nous dit l'Angélus,
D'une Vierge le Dieu très bon
Fait une Mère pleine de grâce,
    C'est l'Angélus,
    C'est l'Angélus.

---

* Cassette: «*Dès le clair matin, je chante Marie*».

CETTE FOIS ENCORE*

Cette fois encor je viens Te saluer,
Ô Reine des cieux et Mère des humains,
Mais quels sont les mots pour Te vénérer
Que les anges eux-mêmes n'ont pu trouver?

De grâce comblée en tes commencements,
Plus brillante que les feux du firmament,
     Tu T'es appelée
     Vierge «Immaculée»
Quand, à Massabielle, Tu posas le pied.

De partout, l'univers accourt, attiré,
Au pied du rocher où Tu es apparue
     Proclamant sa foi
     Et sa confiance
      En ton secours
      Maternel,
     Infatigable,
C'est pourquoi, toujours, je viens Te saluer.

---

* Cassette: «*Au pied du rocher, confidences à Marie*».

ROSÉE MATINALE*

La rosée matinale
Scintille au soleil
Et sur terre étale
Son éclat sans pareil.
C'est là digne parure
Pour la Mère du Roi
De toute la nature
Que reconnaît ma foi.
La rosée matinale
Scintille au soleil
Comme gemme royale
À l'éclat sans pareil.

Comme au cœur de la rose
En ses nombreux replis
Un doux parfum repose
Qu'on respire à l'envi,
Je Te vois, ô Marie,
De toutes les vertus
Par Dieu même remplie,
Par-dessus ses élus.
Comme au cœur de la rose
En ses nombreux replis
Un doux parfum repose
En Toi, Marie.

---

* Cassette: «*Dès le clair Matin, je chante Marie*».

MÈRE DU BEL AMOUR

Salut, Rose vermeille,
Mère du Bel Amour,
Il n'est à Vous pareille
Nulle part à l'entour.
   Douce Pucelle,
Nulle part à l'entour.

Salut, pleine de grâce,
Dit l'Ange du Seigneur;   Lc 1, 28
Pour sauver notre race
Vous donnez le Sauveur.   Lc 1, 31
   Douce Pucelle,
Vous donnez le Sauveur.

Parmi toutes les mères
Dieu daigna vous choisir,
Quand la vie est amère,
Venez nous secourir,
   Douce Pucelle,
Venez nous secourir.

Bénissez le mariage
Des époux de ce jour,
Que, jusqu'à leur grand âge,
Vous gardiez leur amour,
   Douce Pucelle,
Gardez-leur leur amour.

CONFIDENCES À MARIE*

Sur ton épaule,
Quand ma tête est lourde
Et que je succombe
Pressé par l'angoisse,
Je viens reposer
Et reprendre force
Pour continuer
Sans perdre courage.

Laisse-moi redire,
Comme en mon enfance,
Les mots que mes lèvres
Disaient en confiance.
Ton simple sourire
Accueillant ma peine
Suffit pour me dire:
« Mon enfant, je t'aime. »

Mère, écoute ma prière, ce soir,
Car en Toi, je mets tout mon espoir.
Tu peux me faire revivre;
Il suffit d'un mot de Toi,
Ô Vierge Marie,
Pour que mon âme soit aguerrie
Encore prête à lutter
Et vaincre sans tomber.

Vierge sans pareille,
Pure et sans mélange,
Tu es la merveille

---

* Cassette: « *Sur ton épaule, je viens reposer* ».

Que contemple l'ange !
Sur la route austère
Et la pente ardue,
Réconforte, ô Mère,
Ta brebis perdue.

C'EST JUBILÉ AU CLOÎTRE

Chantez aujourd'hui, Jubilaires,
Les grandes merveilles de Dieu;
Laissant le monde à ses affaires,
Vous avez trouvé mieux.   Cf. 2 Tm 2, 4

Chantez en chœur, chantez joyeuses,
Chantez sans fin votre bonheur;
C'est l'avant-goût des heures heureuses
Que vous réserve le Seigneur.

Quittant le bruit pour le silence,
Si vous renoncez de parler,
Ce n'est que pour vivre en présence
De Celui que vous adorez.

Le monde ignore qui vous êtes,
Jugeant la vie à son rapport;
Mais que valent plaisirs et fêtes
À l'ultime instant de la mort?

En tout cela suivez l'exemple
De Celle qui fut du Sauveur
Pendant neuf mois l'auguste Temple[1];
Priez dans la paix, la ferveur.

---

1. «Le Saint-Esprit, par la bouche des saints Pères, appelle aussi
la Sainte Vierge: ... le sanctuaire de la Divinité, le repos de la très Sainte
Trinité, le trône de Dieu, la cité de Dieu, l'autel de Dieu, le temple de
Dieu, le monde de Dieu» (s. Louis-Marie de Montfort, *Traité de la vraie
dévotion à la sainte Vierge*, n. 262).

MÉDITATION AU BORD DE LA MER*

J'ai couru, dès le matin,
Les pieds nus dans la rosée,
Pour respirer l'air salin
Que m'apportait la marée,
La vague venait mourir
      Mourir
Caressant de son écume,
Comme en travail de polir
Le rocher couleur bitume.

En moi-même je pensais,
Savourant ma solitude,
Que le Seigneur me disait:
«Sache bien, j'aime toujours,
      Toujours,
L'âme qui, dans son épreuve,
S'abandonne à mon amour;
Je la polis, pierre neuve.

C'est ainsi que j'ai traité,
Pendant son séjour sur terre,
Celle qui m'a allaité
Et que je voulus pour Mère.
Associée en son Cœur,
      Son Cœur,
Dans ce monde transitoire,
Aux larmes de ma douleur,   Lc 2, 35
Elle brille dans ma Gloire.»

---

* Cassette: «*Dès le clair matin, je chante Marie*».

CHANT DU PÈLERIN

Amis, partons
En pèlerins,
Nous chanterons
Par les chemins,
Les gloires de Marie
À tous les échos;
Qui chante, deux fois prie,
Gratias Deo!

Ma voix s'unit aux anges
Pour offrir à la Reine des Cieux
Les plus pures louanges
Qui puissent monter de ces bas-lieux.
Amis, partons
en pèlerins,
Nous chanterons
Par les chemins.

Le chapelet,
Entre nos mains,
Est un filet
Sûr et certain
Pour ramener à terre
Le pauvre pécheur[1]
Qui, sur mer, désespère
Des flots en fureur.

---

1. S. Louis-M. de Montfort, apôtre du Rosaire, disait que « personne ne pouvait lui résister quand il l'avait passé au cou d'un pécheur ». (Abbé J.M. Quérard, *La Mission providentielle du Bienheureux Louis-Marie Grignion de Montfort*, Sherbrooke, 1898, p. 133)

Nous Te prions, Marie,
Pour tous ceux qui ont le plus besoin
En lutte avec la vie
De la consolation de tes soins
Le chapelet,
Entre nos mains,
Est un filet
Sûr et certain.

VERS TOI, REINE DES HUMAINS*

Vers Toi, Reine des Humains,
Je lève mes yeux confiants,
Aux jours de grand désarroi
Car tout réside dans ta main,
Si la peur étreint le monde,
Rien n'échappe à ton pouvoir
Tu peux donner la Paix.

Ref. Entends la voix de mes frères
Qui, du fond de leur misère,
De tous les points de la terre
Lèvent les yeux vers Toi.

Lorsque le ciel s'assombrit
Et que menace le malheur,
Que l'homme se sent écrasé
Sous le poids de son destin,
Tu fais briller l'espérance,
Douce Mère du Sauveur
Tu peux donner la Paix.

Tu descends du haut des cieux
Et viens dire ce qu'il faut faire
Pour que le monde ait la Paix:
«Prenez en mains mon Rosaire,
Soyez fidèles à le dire
Et, à la fin, mon Cœur vaincra
Et vous aurez la Paix[1].»

---

* Cassette: «*Dès le clair matin, je chante Marie*».
1. Voir les nombreuses publications sur les Apparitions de Fatima, en particulier Dom Claude Jean Nesmy, *La vérité de Fatima*, Éditions S.O.S., Paris, 1980, et *Lucie raconte Fatima* du même Auteur.

ENTRE TES MAINS*

Seigneur, à Toi tout mon amour,
Je le redis, la nuit, le jour.
Entre tes mains, je mets mon sort,   Ps 31 (30), 6
   Je ne crains plus la mort.

Si l'ennemi vient m'attaquer
Ton bras est là pour me garder.
Je dis «JÉSUS», cela suffit
   Et sereine est ma nuit.

Quand le jour tombe et vient le soir,
En Toi je mets tout mon espoir:
«N'ayez souci du lendemain,   Mt 6, 34
   Il repose en ma main.»

Dans cette paix, je suis heureux
Comme d'un avant-goût des cieux.
Et quand viendra le dernier soir,
   Donne-moi de Te voir.

---

* Cassette: «*Sur ton épaule, je viens reposer*».

JEAN-PAUL II

De Jésus Christ vous êtes sur terre
Représentant de ses volontés,
C'est ainsi que ma foi vous vénère,
Mandataire de son autorité.

Infatigable Pèlerin du monde,
Vous avez parcouru l'univers
Pour porter votre parole féconde
À des peuples divers.

Sans vous lasser, vous dites, Saint-Père,
Que le chrétien ne doit séparer
Ces deux amours: Jésus et sa Mère,
Au plan divin qu'il faut respecter[1].

Vous redites à tous les hommes:
AMOUR et PAIX, car tous nous sommes
D'un même sang, d'un même Esprit,
Et en Adam et en Jésus Christ.

De Jésus Christ, vous êtes Saint-Père,
Représentant de ses volontés,
Qu'ainsi toujours ma foi vous vénère,
Dans le respect de votre autorité!

---

1. «On ne peut penser à la réalité même de l'Incarnation sans évoquer Marie, Mère du Verbe Incarné» (Jean-Paul II, Encyclique *Redemptoris Mater* sur la Bienheureuse Vierge Marie, 25 mars 1987, n. 5).

ADIEU, THÉRÈSE*

Le silence des lèvres closes
Par la mort est déjà scellé;
Mais du parfum d'une rose
L'air, pour longtemps, reste embaumé.

Aux rendez-vous de la terre
Notre sœur ne viendra plus;
Nous la retrouverons, ô Père,
Dans la foule des élus.

Au sein des concerts angéliques,
Ses mains désertant le clavier
Glissent en arpèges mystiques,
Harpes d'or au ciel étoilé.

Dans l'auréole de gloire
Près de Toi, Mère de Dieu,
Thérèse chante victoire
En nous attendant aux cieux.

---

* En souvenir de Thérèse Allard, l'accompagnatrice dévouée de toutes
les poésies enregistrées sur les cassettes de ce volume.
Air: « The last Rose of Summer ».

TABLE DES MATIÈRES

Collection

CONTEMPLATION

Imprimerie des Éditions Paulines
250, boul. St-François Nord
Sherbrooke, QC, J1E 2B9

Imprimé au Canada — Printed in Canada